Jardins de pots & Balcons fleuris

PASCAL GARBE

Imprimé en France

Sommaire

Un jardin de pots...

Connaissez-vous le point commun entre les différents types de jardins ? L'utilisation des plantes ? Oui, certes, mais il en existe un autre auquel on ne pense pas souvent : l'utilisation de pots ou de contenants divers. De Bangkok à Sydney, de Buenos Aires à Singapour ou de Paris à New York, les pots et autres contenants tiennent une place dans les jardins. Pour les amateurs de jardins que nous sommes, les pots ont une histoire et une utilité, ils sont devenus des compagnons indiscutables. Ils permettent de garnir des endroits où l'on ne peut pas planter, une terrasse, un balcon, un trottoir. Un jardin romantique, un patio contemporain, chaque situation peut être fleurie ou agrémentée par une plante cultivée dans un pot. Ils permettent également de cultiver des plantes réputées fragiles qu'il est nécessaire de protéger durant l'hiver. C'est d'ailleurs le principe des anciennes orangeries, où l'on cultivait des citronniers, des orangers et bien d'autres espèces dans de grands bacs sortis à la belle saison et rentrés dès les premiers frimas. Outre cette utilisation, les pots sont petit à petit devenus des éléments de décoration et d'ornementation. À chaque jardin son pot, à chaque type de pot son jardin. Les designers, les fabricants proposent d'ailleurs une gamme de plus en plus large.

Que ce soit
dans un jardin
classique ou,
comme ici, dans
un espace plus
contemporain,
les pots trouvent
toujours une
place de choix.

Bien choisir les contenants

En parcourant les jardineries et autres magasins qui vendent des poteries, vous vous êtes certainement rendu compte que l'offre est de plus en plus large, des poteries traditionnelles dites «horticoles» en terre cuite ou des poteries italiennes aux jarres d'inspiration asiatique sans oublier les formes et les matériaux plus contemporains. Le choix d'un contenant est très important. Il doit parfaitement s'intégrer à l'endroit dans lequel on va le placer et également fournir aux

Les créateurs proposent ▷ désormais des formes et des matériaux particulièrement innovants.

plantes les conditions idéales pour se développer. Enfin, à l'instar d'un bijou, il doit mettre en valeur la plante qui s'y développe sans pour autant la masquer par un design ou une forme trop affirmés. Si vous disposez de la plante et que vous lui cherchiez un support, renseignez-vous alors sur le système racinaire et sur les exigences de la plante. Un rosier, par exemple, possède un système racinaire profond qui nécessite le choix d'un pot assez élancé. Au contraire, une fougère arborescente possède un système racinaire très faible au regard de ses parties aériennes et pourra se contenter d'un petit contenant. Les jardinières seront quant à elles adaptées aux compositions où l'on mélangera plusieurs plantes.

Le choix des matériaux est également important. On en trouve principalement de quatre types. Les pots en terre cuite présentent le meilleur rapport qualité-prix-esthétique. La terre cuite permet d'assurer une bonne respiration des plantes. Elle possède une texture particulièrement agréable. Enfin, les fabricants ont fait appel à des designers pour faire évoluer les formes et ainsi proposer des dessins plus variés qui s'adaptent aux environnements les plus divers. La terre cuite peut être brute ou vernie. Le principal écueil de ces poteries reste la résistance au gel. Les pores de la terre cuite absorbent l'eau, qui, en gelant, fait éclater les poteries. Forts de ce constat, les fabricants proposent désormais des poteries résistantes au gel. C'est un critère très important de choix.

Assurez-vous lors de l'achat que votre poterie pourra supporter les gelées habituelles de votre région. Les poteries vernissées sont en général plus résistantes au froid.

Les fabricants de pots en matières plastiques proposent aujourd'hui des pots dont l'aspect est très proche de celui de poteries en terre cuite ou de contenants en pierre reconstituée. Outre le prix, le poids et la résistance de ces contenants en font un excellent matériau. Ils n'ont pas besoin d'être abrités durant l'hiver et ne se décolorent pratiquement plus sous l'effet du rayonnement solaire. Vous trouverez également, de manière plus ponctuelle, des contenants en métal ou en pierre qui pourront également s'adapter à des environnements les plus divers.

Les pots métalliques ▷ *s'adaptent bien aux ambiances classiques. De plus, ils vieillissent très bien.*

Quelques marches, un petit coin sans plantes suffisent pour placer plusieurs pots et ainsi créer une composition tout à fait originale.

Bien choisir les plantes

Une fois que vos contenants sont choisis, il reste une tâche importante : le choix des plantes. De ce choix découlera l'effet final de votre composition ; il est au moins aussi important que le choix du pot. Celui-ci dépend bien entendu de l'ambiance qui règne dans votre jardin ou dans l'en-droit que vous souhaitez agrémenter par des potées. Dans un jardin contempo-rain, vous pourrez choisir des plantes qui possèdent des qualités graphiques comme les æoniums, les hostas, les bambous ou encore les lotus. Dans un jardin romantique, vous choisirez plutôt des buis ou des rosiers. Les potées vont permettre d'affirmer et de renforcer les qualités esthé-tiques de votre jardin. Vous pouvez aussi reprendre le même choix que dans les massifs en vous orientant sur des variétés réputées plus précieuses. La culture en pot mettra ainsi en valeur une partie de vos végétaux. Le choix des plantes dépend également

Les Hostas pourront garnir un endroit ombragé. ▼

du temps dont vous disposez pour votre jardin. Difficile de choisir des potées de pélargoniums ou de pétunias si vous ne pouvez consacrer à l'entretien que quelques minutes par semaine, alors que ces plantes demandent une attention quasi quotidienne. Vous choisirez plutôt des plantes faciles à cultiver et qui ne demandent que peu de soins comme les sédums, les crassulacées ou même les graminées. Comme vos plantes seront généralement utilisées seules, soyez très attentif au moment du choix. Choisissez les plantes les mieux équilibrées et les mieux formées, une plante d'une forme tourmentée pourra également trouver une place de choix dans un jardin contemporain ou particulièrement créatif. N'hésitez pas, au moment de l'acquisition, à vérifier le système racinaire. Votre plante doit posséder un système racinaire dense, mais ne doit pas être à l'étroit. S'il forme un enchevêtrement impénétrable, c'est que la plante est dans ce contenant depuis trop longtemps, et sa croissance sera forcément ralentie. Essayez d'acheter vos plantes le plus tôt en saison. Les premiers jours de printemps sont particulièrement propices. Les étals des jardineries et des pépinières sont généralement bien remplis, et vous n'aurez que l'embarras du choix. Une fois vos plantes acquises, ne tardez pas pour les planter dans votre contenant…

La fougère s'adapte très bien à cette façade ancienne.

La plantation

Il ne vous reste plus qu'à effectuer la plantation pour que vos plantes se développent harmonieusement. Le choix du substrat est très important. Bien sûr, il dépend des plantes que vous allez mettre en pot. Un bon substrat doit posséder un certain nombre de qualités. Il doit

être à la fois rétenteur d'eau, mais aussi drainant. Ce qui peut paraître assez contradictoire. Nous utilisons toujours un mélange dont la composition varie en fonction des plantes. Pour des plantes qui apprécient les sols secs, notre mélange est composé d'un tiers de terre du jardin, d'un tiers de terreau « spécial potées » et d'un tiers de sable de rivière. Les plantes qui apprécient plutôt les sols humifères comme les hostas ou les fougères arborescentes sont rempotées dans un mélange d'un tiers de terre du jardin, d'un tiers de terreau « spécial potées », et d'un tiers d'un amendement organique de type « Or brun ». Une petite pelletée de sable de rivière vient compléter ce mélange. Pour les plantes qui sont vraiment gourmandes en eau, nous ajoutons parfois une petite dose de rétenteur (que l'on trouve en jardinerie). Votre substrat doit être suffisamment humide au moment du rempotage. Un substrat trop sec sera très difficile à réhydrater. Au besoin, arrosez-le à l'aide d'un jet d'eau ou d'un arrosoir.

Retirez la plante de son pot d'origine et prenez soin de bien gratter autour des racines de manière à supprimer l'enchevêtrement, mais aussi de retirer une partie de l'ancien substrat. Plongez ensuite votre plante dans un seau d'eau pendant au moins 30 minutes en prenant soin que l'eau pénètre bien dans la motte. Elle sera gorgée d'eau lorsqu'elle ne flottera plus. Laissez égoutter de manière à évacuer le surplus d'eau. Le nouveau pot doit être au moins 30 % plus large que le pot d'origine. Ainsi, votre plante aura toute la place pour bien se développer. Placez dans le fond du contenant quelques morceaux de tessons de pot, qui assureront un bon drainage, et étalez une couche de substrat. Placez ensuite délicatement votre potée et remplissez les interstices de substrat. Tassez légèrement. La plante ne doit pas «flotter» dans le nouveau substrat. Arrosez abondamment et, au besoin, ajoutez à nouveau un peu de substrat. Durant les premières semaines, évitez de placer votre nouvelle potée en plein soleil. Acclimatez-la à son nouvel environnement. Avant de la mettre en place, faites également une petite toilette de la partie aérienne en supprimant les feuilles un peu abîmées ou en coupant les branches cassées ou mal placées. Enfin, étalez une couche de paillage sur votre substrat. Ce paillage peut prendre plusieurs formes, des billes d'argile expansé, mais aussi un très beau gravier ou encore des matériaux plus hétéroclites qui sont parfois proposés à la vente comme des déchets d'ardoises, du verre pilé ou même des déchets de compostage de pneus ! Outre l'aspect esthétique, ce paillage permettra d'éviter une trop grande évaporation ; de plus, il évitera des éclaboussures toujours disgracieuses lorsque l'on arrose. Une fois ces précautions prises, vous pourrez profiter pleinement de vos potées. Cependant, n'oubliez pas de les entretenir…

Un paillage en graviers permet de mieux mettre en valeur les plantes tout en maintenant une certaine humidité.

L'entretien

Une fois vos plantes en place, il vous faudra leur prodiguer une série de soins de manière à les maintenir en parfaite santé. Autant ne pas vous le cacher, les plantes en pot demandent une attention quasi quotidienne, notamment en plein été, quand les arrosages doivent être fréquents. C'est un élément à prendre en considération, surtout sur le plan du nombre de plantes et de leur localisation dans le jardin. S'il est facile d'arroser quelques potées sur la terrasse, ce sera plus fastidieux d'arroser le même nombre de potées disséminées un peu partout dans le jardin. Soyez donc vigilant avant de multiplier les potées…

Pour garantir un bel effet, il est important de prodiguer à vos plantes en pot un entretien régulier. ▶

🐌 Un arrosage régulier

Le premier des soins, et celui qui vous prendra le plus de temps, reste l'arrosage. En fonction des espèces cultivées, de la chaleur, mais aussi de l'exposition de vos potées, l'arrosage devra être journalier, hebdomadaire, voire mensuel pour certaines plantes peu gourmandes. Nous vous conseillons fortement de regrouper les plantes qui possèdent les mêmes exigences ; vous pourrez ainsi arroser vos potées avec un jet et, lorsque vous confierez cette tâche, en votre absence, à un ami ou à un voisin, vous ne risquerez pas de perdre des plantes par un simple oubli d'arrosage ou au contraire un surplus. Au printemps, l'arrosage se fera de préférence au matin pour éviter les chocs thermiques, alors qu'en plein été les arrosages seront les plus utiles en soirée, aux alentours de 19 heures. Vos plantes pourront ainsi absorber la quantité d'eau dont elles ont besoin durant la nuit. Les potées sur des surfaces inertes comme la terrasse en pierre ou un sol en béton se dessécheront beaucoup plus vite qu'une potée placée sur de l'herbe ; soyez donc vigilant et vérifiez régulièrement le degré d'hygrométrie. Si le substrat

est sec, c'est qu'il ne faut pas tarder à arroser. Évitez de laisser les potées se dessécher car un terreau complètement sec est difficile à réhydrater, et la plante risque de souffrir de ces alternances. En cas d'oubli, trempez vos pots dans un bac d'eau pendant 1 ou 2 heures. Le bassinage du feuillage est également bénéfique, surtout en été. Il permet notamment de baisser la température ambiante. Il suffit d'arroser en pluie fine avec un tuyau. Cette opération ne doit néanmoins pas être réalisée en plein soleil car les gouttes d'eau pourraient brûler le feuillage par un effet de loupe. En automne et en hiver, réduisez les arrosages : un ou deux arrosages par mois sont en général largement suffisants. Là aussi, vérifiez que vos potées ne sèchent pas. Les surplus d'arrosages sont aussi néfastes que les manques.

♠ L'hivernage

Il s'agit également d'une tâche importante. De nombreuses plantes cultivées en pot ne supportent pas le froid et sont parfois détruites par une gelée ou même une simple baisse de température. Dès la fin du mois de septembre, il est important de regrouper les plantes sensibles. Celles qui résistent à de petites gelées pourront être protégées en les plaçant dans un endroit abrité ou en les recouvrant avec un voile de protection de type P17. Les espèces fragiles devront être hivernées. Une véranda ou une serre à l'abri du gel sont des endroits idéaux ; à défaut, un garage bien aéré et surtout lumineux fera parfaitement l'affaire. Au besoin, rabattez vos plantes par une taille légère et réduisez les

Si vous n'avez pas beaucoup de temps à consacrer à votre jardin, choisissez avant tout des plantes rustiques qui ne doivent pas être rentrées en hiver.

arrosages et autres apports d'engrais. Ces plantes ne seront ressorties qu'une fois les derniers risques de gelées écartés.

♠ Les apports d'engrais

Les plantes en pot se développent dans un environnement réduit et ne peuvent pas aller puiser dans le sol les éléments nutritifs dont elles ont besoin. C'est pourquoi il est impératif de leur apporter les éléments nécessaires à leur croissance. Outre les apports d'engrais ou d'éléments organiques au moment de la plantation (*voir La plantation p. 12*), des apports réguliers pourront être faits. Les fabricants proposent désormais une gamme complète d'engrais. Nous avons une très nette préférence pour les engrais à libération lente et les engrais liquides. Les engrais à libération lente sont des granulés que l'on dépose au pied de la plante et qui vont se dissoudre lentement au contact de l'eau. Généralement, un ou deux apports sont nécessaires chaque année. Les engrais liquides se mélangent à l'eau d'arrosage à raison d'un apport hebdomadaire pour les plantes à fleurs et d'un apport mensuel pour les plantes à feuillage décoratif.

Méfiez-vous des engrais en granulés (hormis ceux à libération lente). Il est important de respecter scrupuleusement le dosage sous peine de faire mourir vos plantes. Quelques granulés de plus n'accéléreront pas la croissance de vos plantes mais risquent, au contraire, de les abîmer fortement.

La taille, le nettoyage

Comme les plantes de pleine terre, celles cultivées en pot nécessitent une taille ou un nettoyage régulier. Ces traitements sont destinés à offrir une plante dans ses plus beaux atours. Ils consistent à supprimer tout ce qui est laid. Là une branche cassée, plus loin une feuille sèche, bref, tout ce qui n'est pas beau ! C'est une opération qui doit s'effectuer régulièrement pour éviter que l'effet esthétique de vos compositions ne s'amenui-se. Pour les potées fleuries de géraniums ou de pétunias, c'est une opération journalière qui vise à supprimer les fleurs fanées de façon à susciter l'apparition de nouvelles fleurs.

Le rempotage

Les plantes en pot se développent et ont une croissance qui peut dans certains cas se révéler rapide. Un rempotage est nécessaire au minimum tous les deux ans. Il vise à offrir à vos plantes en pot un nouveau substrat ainsi qu'un nouveau contenant. Cette opération doit s'effectuer au printemps, au moment de la reprise de végétation. Sortez la plante de son pot, grattez le substrat ancien et replacez dans un pot un peu plus grand en incorporant du nouveau substrat. Au passage, profitez-en pour faire un apport d'engrais à libération lente.

17

Les pots dans le jardin

Les pots sont indispensables dans le jardin, et il n'est pas un endroit où ils ne pourront trouver une place. Événement, élément de composition, de symétrie, tout est prétexte pour les utiliser.

❧ En façade, comme une broderie !

Fleurir sa maison, mettre en valeur une façade est un signe extérieur d'intérêt pour le jardin et pour les plantes. En outre, c'est aussi un signe d'intérêt et d'affection pour cette maison. Mais, attention, à vouloir trop bien faire, on se perd parfois dans le mauvais goût ou l'opulence ! La mise en valeur d'une habitation par des potées végétales ou des jardinières fleuries passe avant tout par une bonne proportion.

Au-dessus de 15 à 20 % de la surface globale de la façade, on commence à friser l'overdose. Les potées fleuries doivent agir à la manière d'une broderie. Elles magnifient l'architecture de la façade sans pour autant la masquer ou la cacher. Comme partout, le choix des contenants est important. Notre préférence va aux jardinières simples en terre cuite, mais on se contentera de belles reproductions en plastique, moins chères et surtout moins lourdes. Pour les façades un peu rustiques, on utilisera par exemple des jardinières en osier alors que, pour les ensembles plus contemporains, des potées en zinc ou en métal poseront parfaitement le

Cette composition à base de pétunias met parfaitement en valeur la fenêtre.

décor. Essayez de choisir les plantes en accord avec les tonalités de la façade. Au niveau de la couleur, jouez la carte de la sobriété. Une couleur dominante accompagnée d'une couleur complémentaire pour exciter l'œil ou pour calmer la composition sera suffisante. Les associations de plantes à fleurs bleues (lobélia, sauge, etc.) seront parfaites avec des plantes à fleurs blanches. Comme il s'agit d'un des premiers endroits que l'on aperçoit, soyez attentif au niveau de l'entretien. Préférez trois jardinières bien entretenues à une dizaine avec des plantes chétives ou en mauvaise forme.

🌿 À l'entrée, un bouquet de bienvenue…

L'entrée est également une zone importante de la maison. Pourquoi ne pas la garnir de quelques potées de plantes saisonnières ? Au printemps, des narcisses, des tulipes ou d'autres plantes bulbeuses ; en été, une belle potée d'agapanthes ; en automne, des graminées… À cet endroit, il vaut mieux jouer la carte du changement. Planifiez au début de chaque saison (ou

laissez-vous tenter par des achats d'impulsion) avec le critère premier que la plante que vous placerez à cet endroit doit révéler l'ambiance générale et doit être intéressante pendant une longue période afin d'éviter de devoir la changer trop régulièrement. Si vous optez pour la mise en place de bulbes, réservez dans le potager ou dans un petit coin du jardin un emplace-

Le célèbre jardiniste anglais Christopher Lloyd crée régulièrement des compositions qui mettent en valeur l'entrée de sa maison dans le sud de l'Angleterre.

19

ment où vous pourrez préparer vos plantes et les sortir lorsqu'elles seront les plus belles. Là aussi, l'entretien doit être irréprochable : pas question de laisser une potée de tulipes à moitié fanées ou une agave oubliée durant l'hiver ! Les contenants seront le reflet de la décoration intérieure, vous pourrez vous octroyer toutes les idées du moment où il y a une certaine unité.

🐾 Sur une terrasse, dans un patio, pour donner l'ambiance…

C'est certainement sur la terrasse ou dans un patio que les possibilités d'utiliser les plantes en pot sont les plus vastes. Les pots pourront se prêter à toutes les fantaisies, et vous pourrez même y cultiver des plantes réputées fragiles. Le plus important est de poser une ambiance. Il n'y a rien de plus désagréable que d'observer une multitude de plantes avec une multitude de contenants aux formes les plus diverses ; un joyeux capharnaüm. Ces jardins ne sont que rarement réussis. Au contraire, si vous vous fixez un type de contenant avec des plantes répondant à une ambiance particulière, il

Quelques plantes suffisent à transformer l'espace le plus banal.

y a de grandes chances pour que vous obteniez un ensemble assez raffiné. Les terrasses et autres patios se prêtent également à la culture de plantes en décalage avec le reste du jardin. Si votre jardin est composé de massifs de plantes vivaces, de rosiers ou de petits arbustes dans une composition plus champêtre, vous pourrez vous permettre de cultiver dans un coin particulier de votre propriété des bambous, des crassulacées ou même des plantes aquatiques ! Il s'agit d'une utilisation trop souvent méconnue et pourtant bien agréable. Une belle jarre pourra recevoir un nénuphar, quelques plantes flottantes comme des laitues d'eau ou des jacinthes d'eau et même un poisson rouge ! Vous apporterez ainsi à votre jardin une petite touche

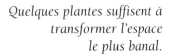

vivante bien sympathique. La terrasse sera également l'endroit où vous pourrez cultiver les plantes gourmandes en eau comme le taro ou les bambous, qui demandent des arrosages très réguliers pour bien se développer. Sur la terrasse, il y a forcément à proximité un point d'eau. Un tuyau de petite taille bien caché vous permettra d'arroser régulièrement sans que cela ne devienne trop astreignant. Vous pourrez également, pour compléter l'intérêt apporté par vos potées, placer çà et là avec parcimonie quelques éléments de décoration comme une petite statue, une boule en terre cuite ou même une petite création en gaules de châtaigniers. Comme toujours, visez la discrétion et le raffinement. Pas besoin de mul-

tiplier les styles, une seule statue, mais bien choisie, fera toujours un plus bel effet que de nombreux éléments de décoration. Essayez de ne pas la révéler au premier point de vue, mais de la chercher derrière un bambou ou une touffe de graminées pour que l'on ne la découvre qu'au dernier moment ; l'effet n'en sera que plus réussi. Sur la terrasse ou le patio, les pots permettent également, comme près de l'entrée, un changement quasi permament au gré des inspirations du propriétaire. Laissez en place les pots les plus lourds et déplacez les plus légers pour mettre en avant les plantes au moment où elles sont les plus belles. Cela aussi permettra de faire vivre votre jardin.

Les pots n'ont pas besoin d'être plantés pour mettre en valeur un coin du jardin.

🐞 Dans le jardin,
pour structurer les massifs

Le jardin est également un fantastique endroit d'expression pour ceux qui aiment les pots. Ils trouveront à coup sûr une utilisation bienvenue. Au niveau de la composition, ils ponctueront un axe de vue ou en créeront un effet de symétrie pour mettre en valeur le dessin du jardin. On choisira alors des plantes particulièrement attractives comme des agapanthes, des hostas, même des graminées. Le choix des plantes devra être en parfait accord avec les plantes du jardin. Elles pourront, le cas échéant, combler une baisse de floraison à un moment donné ou au contraire participer à un feu d'artifice floral. Sur le plan du choix des contenants, les avis divergent et doivent être laissés à la libre interprétation du propriétaire. Choisissez des pots relativement discrets pour bien mettre en valeur les plantes ou plutôt adopter des contenants très présents, par leur forme ou leur couleur, de manière à accentuer la mise en valeur du dessin du jardin. Les pots pourront également habiller un espace dont la plantation n'a pas pu être réalisée ou un coin un peu délaissé. Un regroupement de vieux pots avec quelques plantes pourra animer cet espace. Lorsque vous placez des pots dans le jardin, ayez toujours présents à l'esprit la maintenance et surtout l'arrosage. Si vous ne possédez pas de prise d'eau à proximité, choisissez des essences qui n'ont pas besoin d'apports réguliers et qui peuvent résister à quelques jours d'oubli, notamment durant les vacances.

♣ Au potager, des plantes aromatiques à portée de main…

Au potager, les potées ont plusieurs utilités, et tout d'abord celle de préparer des plantes aromatiques qui pourront prendre place pendant quelques jours près de la terrasse pour éviter de devoir traverser tout le jardin lorsque l'on a besoin d'un brin de ciboulette ou d'une branche de thym. Systématiquement, nous préparons cinq potées des plantes aromatiques les plus utilisées : thym, ciboulette, origan, basilic, menthe, etc. Elles sont enterrées dans le jardin et vont faire régulièrement un séjour près de la terrasse. Ainsi, la maîtresse de maison se sert facilement. Une fois que la potée est presque uti-lisée, elle repart dans le pota-ger, histoire de se refaire une santé. Les potées peuvent aussi mettre en valeur le potager par un petit aspect classique. Pourquoi ne pas aussi fleurir le potager ? Des potées placées dans les axes de vue ou au coin des allées permettront de le transfor-mer en lieu de vie et d'agré-ment.

Il est toujours utile de pouvoir disposer d'herbes condimentaires sans devoir traverser tout le jardin.

Un jardin gourmand sur votre terrasse…

Pour beaucoup, le jardin se limite bien souvent à quelques mètres carrés sur une terrasse ou un balcon. Parfois, même, ces parcelles ne reçoivent que très peu de soleil. Pourtant, y compris dans ces situations, il est possible de cultiver quelques plantes. Parmi les nombreuses possibilités, celle de créer un jardin gourmand est, il faut l'avouer, la plus alléchante ! Bénéficier de quelques plantes et pouvoir en plus en profiter gustativement est une situation rêvée pour de nombreux jardiniers. Avant de vous lancer à tort et à travers dans cette réalisation, quelques précautions sont néanmoins nécessaires.

🐾 Faire l'inventaire des conditions

Un des principaux facteurs d'échecs de la culture de plantes en pot reste le manque d'ensoleillement ou les conditions climatiques difficiles. Cela ne sert à rien de planter deux ou trois pieds de tomates si votre terrasse ou votre balcon ne reçoivent jamais de soleil.

Les contenants permettent ▶ de cultiver des légumes mais aussi des plantes aromatiques.

Vos tomates ne mûriront pas ou n'auront aucun goût. La plupart des plantes aromatiques, des légumes et des fruits ont besoin d'un peu de soleil pour avoir une saveur acceptable. Repérez donc l'endroit le plus ensoleillé, c'est lui qui devra recevoir vos « plantes gourmandes ». Vous réserverez les situations difficiles pour des plantes à fleurs. Parfois, c'est le contraire, le balcon ou la terrasse sont très ensoleillés. C'est plus facile à résoudre en arrosant régulièrement, voire en plaçant un film protecteur (anti-UV).

🌿 Choisir ses plantes
En fonction des conditions en présence, vous pourrez choisir votre palette de plantes. Ce choix doit être dicté par vos utilisations. Cela ne sert à rien de cultiver quelques fraisiers si vous n'aimez pas les fruits !
N'hésitez pas à demander conseil à votre pépiniériste habituel ou aux vendeurs de votre jardinerie. Certaines variétés sont plus résistantes à la culture en pot. Ne perdez pas de vue que les récoltes des plantes cultivées en pot sont toujours moins importantes que celles d'une culture en pleine terre. Une potée suffit généralement à approvisionner la table pour un repas (surtout pour les légumes racines comme les radis ou les carottes). Au besoin, vous pourrez échelonner vos cultures, en remplaçant les

25

Pourquoi ne pas créer ▷
des potées gourmandes
comme ici
avec des laitues et
des plantes aromatiques ?

plantes déjà récoltées par de nouvelles. Les radis sont d'ailleurs des plantes idéales pour ce type de traitement, la plupart des variétés ont une maturité comprise entre 18 et 25 jours. Pour les plantes aromatiques, c'est négligeable puisque l'on prélève juste de petites quantités ; de plus, le fait de prélever quelques tiges ou quelques feuilles permet de garder un port compact.

🐾 Cultiver
ses plantes avec soin

Plus que toutes autres plantes, les légumes et les plantes aromatiques doivent être cultivés avec soin pour donner toute leur plénitude. Le choix du substrat doit être adapté sur mesure aux plantes que vous allez cultiver. Renseignez-vous sur leurs besoins et composez votre substrat. Choisissez de préférence des contenants suffisamment grands pour que les plantes puissent se développer et puiser dans le pot tous les éléments dont elles ont besoin. Si vous utilisez des substrats du commerce, assurez-vous qu'ils soient suffisamment humides ; au besoin, laissez vos potées plusieurs jours dehors en les arrosant abondamment une fois par jour ; en général, cela suffit. Les semis ou les plantations seront faits directement en place. Pour les semis, prenez soin pendant les premiers jours de couvrir avec un voile de forçage de type P17 pour activer la germination. Une fois que le développement de vos plantes a commencé, soyez attentif à leur développement. Les arrosages devront être réguliers pour éviter d'altérer leur croissance, voire leur saveur ! Au printemps, arrosez de préférence le matin pour éviter tout choc thermique ; en été, les arrosages auront lieu le soir pour que vos plantes profitent de la nuit pour bien absorber. Essayez autant que faire se peut de ne pas traiter vos légumes ou vos fruits : en pot, les concentrations sont plus importantes et peuvent se révéler toxiques au moment de la consommation. Comme vous n'aurez pas de grandes quantités de légumes, ne tardez pas entre la cueillette et la dégustation. L'idéal étant de prélever vos légumes ou vos fruits quelques minutes avant de passer à table. Un filet d'eau permettra de nettoyer, et vous pourrez savourer pleinement votre culture… Bon appétit !

◄ La culture en pot des plantes aromatiques permet d'en avoir toujours à portée de main.

LES MEILLEURES PLANTES GOURMANDES
À UTILISER EN POT

🌿 **Les aromatiques**
Aspérule
Basilic
Ciboule
Ciboulette
Estragon
Hysope
Lavande
Mélisse
Menthe
Origan
Oseille
Persil
Romarin
Sauge
Tanaisie
Thym

🌿 **Les légumes et les fruits**
Bette
Capucine
Carotte
Choux
Épinard
Fraisier
Haricot
Laitue
Piments
Poirier (en gros pot)
Pois
Pommier (en gros pot)
Radis
Tomates

Bambous

Groupe de plantes au port très gracieux et à l'allure exotique. Ce sont des végétaux particulièrement adaptés à la culture en pot.

➤ RÉSISTANCE AU FROID
Beaucoup d'espèces de bambous peuvent résister à des températures inférieures à -20 °C. En pot, leur résistance est moindre et ne dépasse guère -15 °C.

➤ TAILLE
En pot et dans de bonnes conditions, la plupart des espèces dites géantes peuvent atteindre 3 à 4 m de haut.

➤ CULTURE
Plantez-les dans un substrat bien drainé et riche. Arrosez au moins une fois par semaine, surtout en plein été.

➤ UTILISATION
Les bambous seront parfaits dans des cours ou des patios pour recréer des ambiances exotiques ou contemporaines.

➤ LES MEILLEURES VARIÉTÉS
Les *Phyllostachys* sont les bambous les plus adaptés à la culture en pot. Nous vous conseillons tout particulièrement *P. nigra* et *P. aurea.* Ils atteindront 2 à 3 m. Si vous souhaitez des espèces plus petites, essayez les *Pleioblastus* comme *P. auricoma* ou *P. fortunei.*

➤ ENTRETIEN
Au printemps, faites un apport d'un engrais gazon. Supprimez les cannes trop vieilles tous les deux ou trois ans.

➤ NOS CONSEILS
Créez un univers exotique en utilisant plusieurs touffes.

🌿 **POUR EN SAVOIR PLUS**
Si vous êtes passionné par les bambous, nous vous invitons à consulter l'ouvrage *Des bambous dans votre jardin* dans la même collection.

Basilic
Ocimum basilicum

Plante aromatique annuelle dont les feuilles dégagent un fort parfum mentholé ou anisé selon les variétés. C'est un compagnon indispensable de tout gastronome…

➤ RÉSISTANCE AU FROID
Les basilics ne résistent pas au froid.

➤ TAILLE
Selon les variétés, ils peuvent atteindre entre 20 et 50 cm de haut.

➤ CULTURE
Le basilic apprécie les substrats frais mais bien drainés. Faites un mélange de terreau et d'un peu de sable de rivière. Une exposition ensoleillée assurera une bonne floraison ; attention, néanmoins, aux expositions trop chaudes !

➤ UTILISATION
Sur la terrasse, le balcon ou un rebord de fenêtre pour en avoir toujours à disposition lorsque vous faites une omelette ou une pizza.

➤ LES MEILLEURES VARIÉTÉS
Il en existe de nombreuses variétés, à grandes feuilles, à feuilles pourpres, à parfum anisé ou encore Thaï. N'hésitez pas à en planter plusieurs pour profiter de saveurs multiples. Deux ou trois graines suffisent à former une belle touffe ; n'en semez pas trop !

➤ ENTRETIEN
Pincez-les régulièrement surtout lorsqu'ils sont jeunes pour stimuler la production de branches latérales.

➤ NOS CONSEILS
Pourquoi ne pas créer une petite collection de basilics en pot. Vous pourrez ainsi faire découvrir ces plantes inhabituelles à vos amis.

Buis
Buxus sempervirens

Plante à feuilles persistantes qui s'adapte à des situations multiples et variées. On peut le tailler, pour lui donner les formes les plus diverses.

➤ RÉSISTANCE AU FROID
Les buis pourront résister à des températures inférieures à -20 °C.

➤ TAILLE
Ils ont une croissance lente, surtout en pot. Ils ne dépasseront guère 1 m de haut.

➤ CULTURE
Cultivez-les dans une terre riche en matière organique. Arrosez-les deux ou trois fois par mois. Ils s'adapteront à des expositions diverses, et variées. Évitez néanmoins les endroits trop chauds.

➤ UTILISATION
Les buis pourront s'adapter à des ambiances très diverses aussi bien classiques que contemporaines. Choisissez les contenants en conséquence.

➤ LES MEILLEURES VARIÉTÉS
'Elegantissima' est une très belle variété à feuilles panachées de blanc. 'Suffruticosa' est une variété au port très compact particulièrement adaptée à la culture en pot.

➤ ENTRETIEN
Faites un apport d'engrais « spécial buis » au printemps. Taillez les plantes conduites en boule une ou deux fois par an.

➤ NOS CONSEILS
Achetez de préférence des sujets en containers, qui s'adapteront plus facilement à votre pot.

Le buis s'adapte aussi bien aux jardins contemporains qu'aux espaces classiques. Ici, des volumes de buis encadrent une fontaine.

31

Capucine
Tropæolum majus

Plante tapissante qui produit durant tout l'été une multitude de fleurs aux tons chauds. Peu utilisée en pot, elle s'adapte néanmoins très bien à ces conditions.

➤ RÉSISTANCE AU FROID
Les capucines sont des plantes annuelles qui meurent après une année de culture. Il faut donc les remplacer chaque année.

➤ TAILLE
Dans de bonnes conditions, avec un apport d'engrais et des arrosages hebdomadaires, elles peuvent s'étaler sur 40 à 50 cm.

➤ CULTURE
Cultivez-les dans un mélange riche en matière organique restant frais. Arrosez deux ou trois fois par semaine et ne laissez pas le substrat sécher.

➤ UTILISATION
Garnissez des potées qui pourront rythmer le potager ou prendre place sur une terrasse gourmande.

➤ LES MEILLEURES VARIÉTÉS
Il en existe de nombreuses variétés. La race 'Alaska' regroupe des plantes au feuillage panaché de blanc. 'Impératrice des Indes' est une variété naine à feuillage pourpre et à fleurs d'un rouge soutenu. 'Peach Melba' est une variété à fleurs de couleur pêche. La plupart des variétés sont proposées par couleur et non pas par nom.

➤ ENTRETIEN
Coupez les tiges sèches.

➤ NOS CONSEILS
Choisissez-en plusieurs variétés pour multiplier les ambiances.

🌿 LE SAVIEZ-VOUS ?
Les fleurs de capucine, mais aussi les jeunes feuilles, sont comestibles. Elles ont un goût légèrement poivré. Vous pouvez également consommer les graines immatures et les faire confire dans du vinaigre pour remplacer les câpres.

Carex
Carex div. sp.

Herbes décoratives très faciles à cultiver et très résistantes qui, en fonction des contenants choisis et de l'endroit où on les place, s'adapteront à des situations diverses et variées.

➤ RÉSISTANCE AU FROID
Les carex sont très résistants au froid et peuvent supporter des températures inférieures à -20 °C.

➤ TAILLE
Ils peuvent atteindre environ 50 cm, beaucoup moins pour les espèces naines.

➤ CULTURE
Plantez-les dans un mélange composé de deux tiers de bonne terre du jardin (ou à défaut d'un bon terreau horticole) et d'un tiers de sable de rivière. Une poignée d'un amendement organique de type « Or brun » assurera une bonne croissance.

➤ UTILISATION
Utilisez-les en rythme ou sur la terrasse avec d'autres plantes d'aspect méditerranéen.

➤ LES MEILLEURES VARIÉTÉS
Parmi les plus décoratifs, nous vous conseillons *C. buchananii* et *C. testacea*, au feuillage bronze. *C. berggrenni* est une variété naine également à feuillage bronze. *C. morrowii* 'Variegata' est une variété à port en dôme et à feuilles panachées.

➤ ENTRETIEN
Rien à signaler. Ne coupez surtout pas le feuillage des espèces à feuilles bronze, cela les ferait mourir.

➤ NOS CONSEILS
Arrosez-les au moins une fois par semaine.

Chrysanthème
Argyranthemum frutescens

Petit arbuste, souvent cultivé comme une plante vivace, qui produit durant l'été une multitude de petites marguerites blanches. Il est souvent commercialisé en tige.

➤ RÉSISTANCE AU FROID
Moyenne, la plante est détruite par une exposition répétée à des températures inférieures à -5 °C.

➤ TAILLE
Environ 50 cm, plus si vous achetez une plante cultivée en tige.

➤ CULTURE
Ils apprécient les substrats riches en matière organique, bien drainés. Faites un apport « d'Or brun » au moment de la plantation.

➤ UTILISATION
Ils apprécient les situations ensoleillées et pourront prendre place sur une terrasse ou près de la maison. Ce sont des plantes qui supportent très bien les embruns marins.

➤ LES MEILLEURES VARIÉTÉS
A. frutescens est certainement l'espèce la plus adaptée pour la culture en pot.

➤ ENTRETIEN
Un arrosage et un apport d'engrais hebdomadaires permettront d'assurer une floraison régulière et abondante. Taillez les fleurs juste après la floraison. Une taille régulière permet de maintenir un port compact.

➤ NOS CONSEILS
Les plantes conduites sur tige permettront de créer des rythmes intéressants.

Clématite
Clematis div. sp.

Plantes grimpantes qui produisent, au printemps ou en été en fonction des variétés, de superbes fleurs colorées. Pour bien se développer, elles nécessitent un tuteur.

➤ RÉSISTANCE AU FROID

Elles sont très résistantes au froid. Si vous le pouvez, placez-les dans un endroit abrité en cas de fortes gelées.

➤ TAILLE

En pot, elles ne dépasseront guère 2 m de haut.

➤ CULTURE

Plantez-les dans un mélange riche en matière organique. Faites un apport d'un amendement organique au moment de la plantation.

➤ UTILISATION

Elles permettront de donner de la verticalité à vos compositions de pots sans pour autant utiliser beaucoup de place. Placez-les en plein soleil.

➤ LES MEILLEURES VARIÉTÉS

Il en existe de nombreuses variétés. Parmi les plus adaptées à la culture en pot : *C. macropetala* et ses variétés, *C. alpina*, à petites fleurs bleues, *C.* 'Perle d'azur', à grandes fleurs bleues, ou encore *C. florida* 'Sieboldii', à fleurs blanches au cœur bleu.

➤ ENTRETIEN

Ne laissez pas le substrat sécher ; un arrosage deux ou trois fois par semaine est nécessaire. Faites un apport d'engrais liquide une fois par semaine.

➤ NOS CONSEILS

Coupez la plante au ras du sol juste après la floraison pour stimuler une seconde croissance.

Coléus
Solenostemon div. sp.

Plantes qui possèdent des feuilles aux couleurs chatoyantes. On les cultivait autrefois comme plantes d'intérieur, mais ils sont désormais aussi cultivés comme plantes d'extérieur.

➤ RÉSISTANCE AU FROID

Ce sont des plantes vivaces, mais on les cultive le plus souvent comme des plantes annuelles. Ils ne résistent pas à des températures inférieures à 4 °C. Durant l'hiver, protégez-les sous une serre ou une véranda.

➤ TAILLE

En pot, ce sont des plantes qui peuvent atteindre 40 cm de haut. Néanmoins, il est conseillé de les pincer régulièrement pour leur garder un port compact.

➤ CULTURE

Plantez-les dans un sol riche, restant frais. Ce sont des plantes qui supportent le plein soleil pour peu que l'endroit ne soit pas trop brûlant.

➤ UTILISATION

En compagnie de plantes à feuillage pour éclairer les compositions.

➤ LES MEILLEURES VARIÉTÉS

Il en existe une multitude de variétés au feuillage allant du pourpre foncé au jaune très clair, à feuilles plus ou moins découpées. Ces variétés sont proposées sans dénomination précise.

➤ ENTRETIEN

Deux ou trois arrosages par semaine et un apport d'engrais tous les quinze jours sont nécessaires.

➤ NOS CONSEILS

On peut s'en servir autant pour décorer l'extérieur que l'intérieur.

🌿 LE SAVIEZ-VOUS ?

Les coléus se bouturent très facilement. Il suffit de prélever une tige latérale et de la placer dans un verre d'eau. Au bout de quelques jours, des racines apparaîtront. Deux semaines plus tard, vous pourrez les mettre dans un mélange terreux.

Les coléus offrent une diversité de formes et de couleurs impressionnante.

37

Colocasia
Colocasia esculenta

Plante tropicale à grandes feuilles. Elle ne fleurit que très rarement et est surtout cultivée pour la beauté de son feuillage.

➤ RÉSISTANCE AU FROID

C'est une plante vivace, mais elle ne supporte pas des températures inférieures à 5 °C. Faites-la hiverner sous serre ou à l'intérieur.

➤ TAILLE

Dans une terre riche et un contenant d'environ 1 m de diamètre, il peut atteindre 1 m de haut.

➤ CULTURE

C'est une plante qui nécessite de l'humidité permanente pour bien se développer. Plantez-le dans un pot étanche.

➤ UTILISATION

Les colocasias pourront participer à une très belle ambiance tropicale en compagnie de grandes grami-nées, de papyrus ou de grands bambous.

➤ LES MEILLEURES VARIÉTÉS

'Black Magic' est une nouvelle variété encore peu répandue qui possède des feuilles complètement noires ; une pure merveille !

➤ ENTRETIEN

Protégez les touffes en hiver en les plaçant sous serre. Coupez les feuilles sèches au fur et à mesure de leur apparition. Un apport d'engrais liquide spécial « plantes à feuillage » une fois par semaine est souhaitable.

➤ NOS CONSEILS

Bassinez le feuillage en cas de grandes chaleurs.

〽 LE SAVIEZ-VOUS ?

On appelle également le colocasia « Taro ». Les racines sont comestibles et très cultivées en Asie tropicale.

Datura
Brugmansia div. sp.

Très bel arbuste à grandes feuilles qui produit au beau milieu de l'été de nombreuses fleurs retombantes, souvent parfumées. C'est une des plantes les plus utilisées en pot.

▶ RÉSISTANCE AU FROID
Les daturas sont des plantes frileuses qui ne résistent pas à des températures inférieures à 7 °C.

▶ TAILLE
C'est une plante qui se développe vite. Un sujet de deux ou trois ans avec des soins réguliers peut atteindre 2 m.

▶ CULTURE
Cultivez-le dans un mélange riche et un pot d'au moins 1 m de diamètre pour qu'il puisse se développer rapidement. Placez-le en plein soleil.

▶ UTILISATION
Il sera parfait pour décorer une terrasse ou agrémenter l'entrée de la maison. Placez les variétés parfumées à proximité des lieux de passage.

▶ LES MEILLEURES VARIÉTÉS
Il en existe de nombreuses variétés, mais souvent difficiles à trouver. Parmi les plus communes, *B.* x *candida* 'Grand Marnier' produit des fleurs abricot. *B.* x *candida* 'Variegata' possède des feuilles panachées.

▶ ENTRETIEN
Arrosez deux ou trois fois par semaine et fertilisez une fois tous les quinze jours.

▶ NOS CONSEILS
Abritez-le dans un garage près d'une fenêtre durant l'hiver.

🌿 LE SAVIEZ-VOUS ?
Toutes les parties des daturas sont très toxiques et ne doivent pas être portées à la bouche. Soyez vigilant si vous avez des enfants.

Diascia
Diascia div. sp.

Plante herbacée qui produit durant tout l'été une myriade de petites fleurs roses, mauves ou même blanches. Ce sont des plantes idéales pour des balconnières.

➤ **RÉSISTANCE AU FROID**

La plupart des diascias résistent à des températures de -10 °C. En pot, ils sont plus fragiles.

➤ **TAILLE**

Ce sont des plantes rampantes qui ne dépassent guère 20 cm de haut.

➤ **CULTURE**

Ils apprécient une terre restant fraîche et une situation ensoleillée.

➤ **UTILISATION**

Associez les diascias à d'autres plantes fleuries pour créer de ravissantes potées.

➤ **LES MEILLEURES VARIÉTÉS**

On en trouve désormais de nombreux hybrides qui sont le plus souvent vendus par couleur sans dénomination précise. 'Ruby Field' produit des fleurs rose saumoné. *D. rigescens* produit des fleurs roses dressées. *D. fetcaniensis* est certainement la variété la plus résistante au froid. Elle produit des fleurs roses. Il en existe une variété à fleurs blanches et une variété à feuilles panachées, mais elles sont moins florifères que les autres.

➤ **ENTRETIEN**

Un arrosage tous les trois ou quatre jours et un apport hebdomadaire d'engrais garantiront une floraison durant tout l'été.

➤ **NOS CONSEILS**

Mélangez plusieurs variétés dans un même pot.

Echeveria
Echeveria div. sp.

Petite crassulacée au feuillage bleuté. Souvent utilisée comme plante à massif, elle forme de belles potées. Si on la cultive le plus souvent pour ses feuilles, elle possède de très belles fleurs.

➤ RÉSISTANCE AU FROID
Les echeverias ne sont pas rustiques et ne supportent pas des températures inférieures à 4 °C.

➤ TAILLE
Ce sont des plantes rampantes qui ne dépassent guère 10 cm de haut.

➤ CULTURE
Les echeverias apprécient les terres bien drainées. Plantez-les dans un mélange composé de deux tiers de terreau et d'un tiers de sable de rivière. Placez-les en plein soleil en évitant les expositions trop brûlantes.

➤ UTILISATION
On peut les cultiver dans de petits pots de terre cuite ou réaliser de charmantes compositions mettant en scène d'autres crassulacées qui prendront place sur une petite terrasse ou un rebord de fenêtre.

➤ LES MEILLEURES VARIÉTÉS
Il en existe plusieurs espèces, mais elles sont rarement commercialisées avec une identification précise.

➤ ENTRETIEN
Un arrosage hebdomadaire suffit largement. Il n'est pas nécessaire de faire un apport d'engrais.

➤ NOS CONSEILS
Vous pouvez créer une collection de crassulacées qui pourront trouver une place de choix sur une terrasse en graviers.

🌱 LE SAVIEZ-VOUS ?
Le nom d'echeria a été donné en l'honneur de Athanasio Echeverria Godoy, un illustrateur botanique qui participa à une expédition au Mexique entre 1787 et 1797.

Euphorbe
Euphorbia div. sp.

Plantes vivaces souvent cultivées pour leur feuillage décoratif. Ce sont des plantes mellifères qui attirent généralement les insectes.

➤ RÉSISTANCE AU FROID
Assez bonne, la plupart des espèces résistent à des températures inférieures à -10 °C.

➤ TAILLE
Leur hauteur diffère beaucoup en fonction des espèces. Elle peut être comprise entre 20 et 80 cm.

➤ CULTURE
Elles apprécient les substrats riches et bien drainés. Faites un apport de sable de rivière au moment de la plantation.

➤ UTILISATION
Sur une terrasse ou dans le jardin en compagnie d'autres plantes.

➤ LES MEILLEURES VARIÉTÉS
Plusieurs espèces peuvent être cultivées en pot. Parmi les plus intéressantes, nous vous conseillons *E. mellifera*, qui produit de grandes tiges avec un très beau feuillage. *E. myrsinites* est une variété rampante originaire de Corse. Les différentes variétés issues de *E. polychroma* se plaisent aussi en pot.

➤ ENTRETIEN
Un arrosage hebdomadaire et un apport d'engrais mensuel sont suffisants. Coupez les tiges gênantes.

➤ NOS CONSEILS
Ce sont des plantes au port léger idéales pour les ambiances un peu champêtres.

⚠ ATTENTION
Le latex qui s'écoule des tiges des euphorbes peut engendrer des brûlures superficielles sur la peau des personnes sensibles.

Fuchsia
Fuchsia div. sp.

Petit arbuste qui produit des fleurs retombantes très colorées. On l'utilise souvent en pot ou en suspension. C'est une plante particulièrement facile à cultiver.

➤ RÉSISTANCE AU FROID
Les hybrides de fuchsia de Magellan sont parfois rustiques en pleine terre, mais très rarement en pot. Ils résistent en général à des températures de -4 °C.

➤ TAILLE
En pot, les fuchsias ne dépassent guère 50 à 60 cm. En revanche, en pleine terre, ils peuvent parfois dépasser 1,5 m.

➤ CULTURE
Les fuchsias apprécient une terre restant fraîche et riche en matière organique.

➤ UTILISATION
Les fuchsias seront parfaits pour garnir le pied d'un arbre ou un endroit à mi-ombre. Associez-les à d'autres plantes d'ombre comme les impatiens ou les hostas.

➤ LES MEILLEURES VARIÉTÉS
Il existe une multitude de variétés, et vous n'aurez que l'embarras du choix. Essayez de choisir des variétés déjà fleuries pour que vous puissiez juger de la beauté des fleurs.

➤ ENTRETIEN
Un arrosage hebdomadaire et un apport d'engrais liquide tous les quinze jours suffiront à leur assurer un bon développement. Pincez les branches pour stimuler la production de nouvelles fleurs.

➤ NOS CONSEILS
Faites-les hiverner dans un endroit sec et aéré, à l'abri du gel.

☙ LE SAVIEZ-VOUS ?
Le mot fuchsia a été donné en l'honneur de Léonard Fuchs (1501-1566), un physicien et botaniste allemand qui publia en 1542 un herbier particulièrement complet.

Fougères arborescentes
Dicksonia, Cyathea, etc.

Ces plantes, qui ressemblent à nos fougères mais forment un tronc, attirent souvent les jardiniers à cause de leur rareté.

➤ **RÉSISTANCE AU FROID**
Elles supportent de petites gelées.

➤ **TAILLE**
Dans la nature, elles peuvent atteindre plusieurs dizaines de mètres de haut. Les sujets proposés à la vente ne dépassent guère 2 m. Leur prix est souvent prohibitif.

➤ **CULTURE**
Cultivez les fougères dans un mélange riche en matière organique et placez-les à mi-ombre ou à l'ombre.

➤ **UTILISATION**
Les fougères arborescentes pourront prendre place dans un patio d'ambiance exotique en compagnie de plantes à feuillage comme les colocasias ou même de bambous.

➤ **LES MEILLEURES VARIÉTÉS**
Plusieurs variétés sont cultivées sous nos latitudes. Parmi les plus communes, *Dicksonia squarrosa*. On trouve parfois *D. antarctica* et *Cyathea intermedia*.

➤ **ENTRETIEN**
Pour bien se développer, toutes les fougères arborescentes ont besoin d'une humidité ambiante importante. Bassinez tous les trois ou quatre jours le feuillage. Arrosez le tronc au moins une fois par semaine.

➤ **NOS CONSEILS**
La culture des fougères arborescentes est à réserver aux amateurs avertis. Si vous ne possédez pas de serre ou de véranda, abstenez-vous…

Fraisier
Fragaria div. sp

Le jardinier gourmand ne pourrait se passer des fraises. Ces petits fruits rouges feront le plaisir des plus petits mais aussi des plus grands.

➤ RÉSISTANCE AU FROID
Les fraisiers résistent assez bien au froid, même lorsqu'ils sont cultivés en pot.

➤ TAILLE
Les touffes font environ 30 à 40 cm de haut.

➤ CULTURE
Ils apprécient une terre fraîche, riche en matière organique. Une exposition ensoleillée est préférable ; placez vos potées au soleil pour que les fruits soient encore plus sucrés !

➤ UTILISATION
Plusieurs possibilités s'offrent à vous, soit cultiver des potées de fraisiers, soit les associer à d'autres plantes, comme des aromatiques.

➤ LES MEILLEURES VARIÉTÉS
Il en existe de nombreuses variétés, vous n'aurez que l'embarras du choix. Parmi les plus savoureuses, 'Gariguette' produit de délicieux fruits allongés. 'Mara des Bois' produit également des fruits délicieux.

➤ ENTRETIEN
Faites un apport d'engrais fraisiers (ou à défaut d'engrais rosiers) chaque printemps. Renouvelez vos plants tous les deux ou trois ans en récoltant les stolons.

➤ NOS CONSEILS
Choisissez plusieurs variétés pour étaler les récoltes et varier les saveurs.

Géranium des balcons
Pelargonium div. sp.

S'il fallait ne garder qu'une seule plante à cultiver en pot, ce serait assurément le géranium des balcons. Facile à cultiver, florifère, que demander de plus ?

➤ Résistance au froid
Détruits par le gel, les géraniums des balcons ne supportent pas des températures inférieures à -2 °C.

➤ Taille
Dans de bonnes conditions, ils atteindront 40 à 50 cm de haut.

➤ Culture
Un arrosage régulier (deux fois par semaine) et un apport d'engrais hebdomadaire assureront une croissance harmonieuse. Les géraniums des balcons ont besoin de soleil pour bien fleurir.

➤ Utilisation
Ils pourront former de superbes jardinières et compositions fleuries surtout si on les associe avec d'autres plantes comme des plectranthus ou même des bidens.

➤ Les meilleures variétés
Il en existe de nombreuses variétés, qui sont vendues le plus souvent par couleur sans dénomination précise. On distingue principalement les variétés retombantes dites « cascades » des variétés plus ou moins érigées.

➤ Entretien
Supprimez les fleurs fanées tous les deux ou trois jours pour stimuler l'apparition de nouveaux boutons floraux.

➤ Nos conseils
Faites-les hiverner dans un garage éclairé à l'abri du gel.

✿ NE CONFONDEZ PAS...
...les géraniums vivaces (dont le nom latin est *Geranium*) et les géraniums des balcons (dont le nom latin est *Pelargonium*). Les deux plantes sont cousines, mais ne se cultivent pas de la même manière.

Giroflée
Erysimum cheri

Ces plantes vivaces à tiges ligneuses produisent durant tout l'été une multitude de fleurs réunies en grappes. Ce sont des plantes qui ne vivent que deux ou trois ans.

➤ RÉSISTANCE AU FROID
Les giroflées sont assez résistantes. Attention, néanmoins, ne les placez pas en situation trop ventée !

➤ TAILLE
En pot, ce sont des plantes qui peuvent atteindre 30 à 40 cm de haut.

➤ CULTURE
Les giroflées apprécient les sols bien drainés et peu fertiles. Plantez-les dans un mélange de terre du jardin et de sable de rivière. Les apports d'engrais sont superflus.

➤ UTILISATION
Ce sont des plantes idéales pour des ambiances champêtres ou romantiques. Placez-les en plein soleil.

➤ LES MEILLEURES VARIÉTÉS
La plus connue est certainement 'Bowles' Mauve' qui produit des fleurs mauves. On en trouve néanmoins d'autres variétés comme 'Blood Red', à fleurs rouges, ou 'Variegata', à feuilles panachées.

➤ ENTRETIEN
Après la floraison, taillez la plante pour lui redonner un port compact. Arrosez vos potées une fois tous les quinze jours.

➤ NOS CONSEILS
Laissez quelques tiges former des graines pour effectuer vous-même les semis.

Hakonechloa
Hakonechloa macra

Ravissante graminée au port légèrement retombant dont les feuilles ont la texture de la soie. Ce sont des plantes peu répandues, mais qui apportent une touche incomparable au jardin.

➤ **RÉSISTANCE AU FROID**
Très bonne ; en pot, les hakonechloas supportent des températures inférieures à -20 °C.

➤ **TAILLE**
Ce sont des plantes retombantes, elles ne dépassent guère 30 cm de haut.

➤ **CULTURE**
Pour bien se développer, les hakonechloas demandent un sol riche en matière organique et une situation à mi-ombre. Au moment de la plantation, faites un apport d'amendement organique de type « Or brun ».

➤ **UTILISATION**
Les hakonechloas pourront faire un effet particulièrement intéressant dans un patio contemporain en compagnie d'autres plantes à feuillage comme les hostas ou des bambous.

➤ **LES MEILLEURES VARIÉTÉS**
On en trouve principalement deux variétés dans le commerce, 'Aureola' à feuillage panaché de jaune, et la variété type à feuilles vertes.

➤ **ENTRETIEN**
Coupez le feuillage une fois qu'il est sec au milieu de l'automne et faites un apport « d'Or brun ». Un arrosage hebdomadaire suffit.

➤ **NOS CONSEILS**
Comme ce sont des plantes qui ont une croissance assez lente, plantez-en deux ou trois godets pour un pot de taille moyenne.

Heuchère
Heuchera div. sp.

Plante vivace à feuillage décoratif qui produit au début de l'été une multitude de petites fleurs blanches ou roses. Ce sont des plantes qui se cultivent très facilement en pot.

➤ RÉSISTANCE AU FROID
Très bonne, la plupart des variétés résistent à -20 °C.

➤ TAILLE
En fleurs, elles peuvent facilement dépasser 50 cm.

➤ CULTURE
Elles apprécient les sols riches en matière organique restant frais. Plantez-les dans un mélange de terre du jardin et de terreau, faites un apport « d'Or brun ».

➤ UTILISATION
Placez-les à mi-ombre en compagnie d'autres plantes à feuillage comme des hostas.

➤ LES MEILLEURES VARIÉTÉS
Il en existe de nombreuses variétés.

Parmi les plus décoratives, nous pouvons vous conseiller 'Pewter Moon', à feuilles pourpres marbrées d'argent. 'Pluie de Feu' est une vieille variété qui produit des fleurs roses. 'Chocolate Ruffles' possède des feuilles pourpres légèrement crispées.

➤ ENTRETIEN
Coupez les hampes florales sèches. Un arrosage tous les dix jours suffit. Les apports d'engrais sont superflus. Bassinez le feuillage pendant les grandes chaleurs.

➤ NOS CONSEILS
En pot, choisissez plutôt les espèces à feuilles décoratives, qui sont intéressantes plus longtemps.

Hosta
Hosta div. sp.

Plante vivace à feuillage décoratif. Certaines variétés produisent au milieu de l'été des fleurs blanches ou mauve pâle parfois parfumées.

➤ RÉSISTANCE AU FROID
Très bonne ; elles peuvent résister à des températures inférieures à -15 °C.

➤ TAILLE
Elle est très variable en fonction des variétés. Certaines ne dépassent guère 10 cm de haut ('Wogon Gold') alors que d'autres peuvent dépasser 80 cm ('Sagae').

➤ CULTURE
Elles apprécient les sols riches en matière organique restant frais. Plantez-les dans un mélange de deux tiers de terreau et d'un tiers « d'Or brun ».

➤ UTILISATION
À mi-ombre en compagnie d'heuchères, d'hakonechloas et d'autres plantes à feuillage. Elles peuvent se cultiver en plein soleil si vous prenez soin de les arroser régulièrement.

➤ LES MEILLEURES VARIÉTÉS
Il en existe une multitude. Parmi les plus décoratives, 'June' possède des feuilles bleues maculées de jaune. 'Morheim' possède de belles feuilles vertes marginées de crème. 'Golden Tiara' est une petite variété à feuilles rondes marginées de jaune.

➤ ENTRETIEN
Chaque année, au printemps, faites un apport d'amendement organique de type « Or brun ».

➤ NOS CONSEILS
Au moment de la croissance des feuilles, disposez de manière préventive quelques granulés antilimaces.

Ipomée
Ipomoea div. sp.

Cette plante grimpante annuelle produit durant tout l'été une multitude de fleurs aux couleurs généralement vives. Rarement cultivée en pot, elle forme de superbes potées.

➤ RÉSISTANCE AU FROID

Ce sont des plantes annuelles qui sont détruites lorsque les températures descendent en dessous de 0 °C.

➤ TAILLE

Dans de bonnes conditions, elles peuvent atteindre 2 à 3 m de haut (plus lorsqu'elles sont cultivées en pleine terre).

➤ UTILISATION

Elles permettront de donner du volume et de la hauteur à vos compositions. Elles préfèrent les situations lumineuses, voire ensoleillées. Attention néanmoins aux situations brûlantes !

➤ CULTURE

Dans un bon mélange riche restant frais. Placez trois tuteurs en bambou.

➤ LES MEILLEURES VARIÉTÉS

Les horticulteurs en proposent désormais plusieurs variétés. 'Heavenly Blue' produit des fleurs bleu azur. 'Flying Saucers' produit des fleurs blanc et bleu. *I. quamoclit* produit de petites fleurs rouges.

➤ ENTRETIEN

Un arrosage et un apport d'engrais liquide hebdomadaire sont les clés de la réussite de leur culture. Taillez de temps en temps pour garder une forme harmonieuse.

➤ NOS CONSEILS

Achetez-les chez votre horticulteur une fois que tout risque de gelée est écarté.

Laitue
Lactuca sativa

Plante annuelle qui développe de nombreuses feuilles regroupées en rosette. Elle fait partie des incontournables au jardin, alors, pourquoi ne pas les essayer en pot ?

➤ RÉSISTANCE AU FROID
Le gel fait "cuire" les feuilles des laitues et signe l'arrêt de la culture.

➤ TAILLE
Elles ne dépassent guère plus de 30 cm de haut.

➤ CULTURE
Les laitues apprécient les terres légères, riches en matière organique et restant fraîches. En pot, cultivez-les dans un mélange de terreau, de terre du jardin et de sable de rivière. Arrosez régulièrement.

➤ UTILISATION
Repiquez-les dans des grandes jardinières ou même dans des bacs. Remplacez aussitôt les plantes coupées pour la consommation.

➤ LES MEILLEURES VARIÉTÉS
Parmi les laitues à couper, nous pouvons vous conseiller différentes variétés de feuilles de chêne comme 'Feuille de Chêne blonde' ou une autre valeur sûre, 'Lolo Rossa'. Chez les laitues pommées, vous pourrez choisir 'Grosse Blonde paresseuse', une variété à grand développement. Choisissez vos variétés en fonction de vos utilisations.

➤ ENTRETIEN
Arrosez régulièrement.

➤ NOS CONSEILS
Jouez la carte de la couleur en utilisant des variétés à feuilles rouges.

Lobélia
Lobelia erinus

Plante vivace qui produit au milieu de l'été une multitude de petites fleurs colorées dans des teintes très lumineuses. Ce sont des plantes qui créent de très belles potées.

➤ **RÉSISTANCE AU FROID**

Elles sont détruites par le gel. Vu leur faible prix, il n'est pas nécessaire de les protéger durant l'hiver.

➤ **TAILLE**

Ce sont des plantes dont la taille peut atteindre 15 à 20 cm en fonction des variétés.

➤ **CULTURE**

Cultivez-les dans un mélange riche restant frais.

➤ **UTILISATION**

En potées fleuries en compagnie d'autres plantes à fleurs. Les lobélias préfèrent le plein soleil, mais ont horreur des situations brûlantes.

➤ **LES MEILLEURES VARIÉTÉS**

En pot, on cultive principalement *Lobelia erinus*, les autres espèces étant cultivées en pleine terre. Parmi les *Lobelia erinus*, on en trouve plusieurs variétés, vendues par couleur sans dénomination précise. On en trouve des blanches, des rose pâle, des rose soutenu, des mauves et des bleues.

➤ **ENTRETIEN**

Faites un apport d'engrais au moins une fois par semaine. Un arrosage abondant à raison de deux ou trois par semaine est nécessaire.

➤ **NOS CONSEILS**

Vous pouvez l'utiliser pour garnir le pied de plantes plus grandes comme les agapanthes.

LE SAVIEZ-VOUS ?

Le nom de *Lobelia* a été donné en l'honneur du botaniste Mathias de l'Obel (1538-1616).

Lotus
Nelumbo nucifera

Superbe plante aquatique d'origine tropicale qui produit au milieu de l'été de grosses fleurs dressées parfois parfumées qui se déploient au-dessus du feuillage.

➤ RÉSISTANCE AU FROID

Ils peuvent supporter de très faibles gelées, mais le mieux est de faire hiverner la racine dans du sable humide.

➤ TAILLE

Dans de bonnes conditions, les fleurs peuvent culminer à près de 2 m de haut.

➤ CULTURE

Pour bien se développer, les lotus ont besoin de beaucoup de chaleur et de lumière. Plantez-les dans l'endroit le plus chaud du jardin dans une terre riche. Choisissez de préférence un grand contenant que vous pourrez rentrer en hiver.

➤ UTILISATION

Très belle plante à réserver aux patios d'ambiance contemporaine ou exotique.

➤ LES MEILLEURES VARIÉTÉS

Il en existe plusieurs variétés. La plus résistante reste l'espèce type. 'Alba' produit de ravissantes fleurs blanches. 'Kermesina' produit des fleurs doubles rose vif.

➤ ENTRETIEN

Dans le nord et l'est de la France, faites hiverner les racines dans un endroit sec et aéré à l'abri du gel.

➤ NOS CONSEILS

C'est une plante à réserver aux amateurs avertis.

🌿 LA FLEUR DES DIEUX

En Asie, les lotus sont considérés comme des plantes exceptionnelles, c'est pourquoi on s'en sert souvent comme offrandes aux dieux.

Les lotus font partie des plantes qui attirent le plus les jardiniers avertis. Leurs qualités graphiques et la grâce qu'ils déploient en font un sujet de choix.

Menthe
Mentha div. sp.

Plante vivace aromatique et à croissance vigoureuse qui produit de petits épis blancs ou mauve pâle. La culture en pot permet de contenir son développement.

➤ Résistance au froid
Très bonne ; la plupart des espèces peuvent résister à des températures inférieures à -20 °C.

➤ Taille
La plupart des variétés ont une taille comprise entre 30 et 50 cm de haut. *M. requienii* et *M. pulegium* sont des variétés rampantes qui ne dépassent pas 5 cm de haut.

➤ Culture
Elles apprécient les terres riches en matière organique restant fraîches. Elles supportent aussi bien l'ombre que le plein soleil pour peu que leur substrat reste humide.

➤ Utilisation
En isolé sur la terrasse pour que vous puissiez en prélever pour la cuisine.

➤ Les meilleures variétés
Mentha suaveolens 'Variegata' est une très belle variété à feuilles panachées de blanc. *M.* x *piperata* produit des feuilles vertes très aromatiques. *M. pulegium* et *M. requienii* sont deux variétés rampantes. *M. viridis* est la plus parfumée.

➤ Entretien
Coupez le feuillage sec à la fin de l'automne. Divisez les touffes devenues trop denses.

➤ Nos conseils
L'idéal est d'en avoir trois ou quatre potées pour que vous puissiez en utiliser régulièrement pour la cuisine.

❀ UNE INFUSION DE MENTHE
Faites infuser une bonne poignée de menthe dans de l'eau chaude, sucrez en fonction de vos goûts et servez aussitôt.

Mina
Mina lobata (= Ipomoea lobata)

Cette plante grimpante vivace produit des inflorescences érigées de couleur jaune orangé. Encore peu connue, elle mérite votre attention.

➤ **RÉSISTANCE AU FROID**

Elle est détruite dès que les températures descendent en dessous de 0 °C.

➤ **TAILLE**

En pot, elle peut atteindre 2 à 3 m.

➤ **CULTURE**

Cultivez-les dans une terre riche en matière organique. Un substrat composé de terre du jardin, de terreau et d'un peu de sable de rivière est idéal.

➤ **UTILISATION**

Elles pourront grimper sur une structure et donner du volume et de la hauteur à vos potées. Elles préfèrent le plein soleil, où la floraison sera plus abondante.

➤ **LES MEILLEURES VARIÉTÉS**

On en cultive principalement deux variétés. L'espèce type, qui produit des fleurs jaune orangé, et 'Citronella', qui produit des fleurs jaune pâle.

➤ **ENTRETIEN**

Un arrosage hebdomadaire et un apport d'engrais liquide tous les quinze jours vous permettront d'obtenir un bon développement. N'oubliez pas de les palisser sur trois tuteurs.

➤ **NOS CONSEILS**

On peut les faire hiverner dans une serre ou une véranda.

Miscanthus
Miscanthus div. sp.

Herbe décorative au port particulièrement gracieux. Elle produit à la fin de l'été de fins épis plumeux qui accentuent le charme de cette plante à découvrir.

➤ RÉSISTANCE AU FROID
Très bonne ; la plupart des variétés résistent à des températures inférieures à -15 °C. Certaines nouvelles variétés peu courantes dans le commerce ('Cabaret', 'Cosmopolitan') ne sont pas rustiques.

➤ TAILLE
En pot, les miscanthus peuvent atteindre 1,5 m de haut.

➤ CULTURE
Ils apprécient les terres riches et bien drainées. Plantez-les dans un mélange de terre du jardin, de sable de rivière et « d'Or brun ».

➤ UTILISATION
Placez-les en plein soleil dans un patio ou en rythme pour apporter un peu de nature à votre jardin. On peut les associer à d'autres graminées ou même à des bambous.

➤ LES MEILLEURES VARIÉTÉS
M. sinensis 'Variegatus' possède des feuilles panachées de blanc. *M. sinensis* 'Morning Light' possède un feuillage très fin, panaché de blanc. *M. sinensis* 'Gracillimus' lui ressemble, mais les feuilles ne sont pas panachées.

➤ ENTRETIEN
Un arrosage hebdomadaire est suffisant. Il n'est pas nécessaire de faire un apport d'engrais. Coupez le feuillage sec à la fin de l'automne.

➤ NOS CONSEILS
Divisez les touffes qui deviennent trop importantes pour les rajeunir.

Nandina
Nandina domestica

Arbuste peu connu qui possède un feuillage persistant très beau et qui produit au début de l'été une multitude de petites fleurs blanches suivies par des fruits rouges.

➤ RÉSISTANCE AU FROID
Assez bonne ; il résiste à des températures inférieures à -12 °C.

➤ TAILLE
Dans de bonnes conditions, il peut atteindre 1,5 m.

➤ CULTURE
Il apprécie les terres riches en matière organique, mais bien drainées. Cultivez-le en plein soleil ou à mi-ombre dans un mélange de terre du jardin, de terreau et de sable de rivière.

➤ UTILISATION
C'est une plante idéale pour donner un petit air exotique à votre jardin. Associez-le à des bambous ou à des plantes à grandes feuilles comme des colocasias.

➤ LES MEILLEURES VARIÉTÉS
On trouve surtout dans les pépinières l'espèce type et 'Fire Power', une variété naine et compacte qui se pare de superbes couleurs d'automne. On trouve parfois une variété plus rare à feuilles dorées, 'Aurea', plus délicate à cultiver.

➤ ENTRETIEN
Aérez la plante par une taille légère. Un arrosage hebdomadaire et un apport d'engrais une fois par mois sont suffisants.

➤ NOS CONSEILS
Choisissez un contenant d'inspiration asiatique pour accentuer l'effet.

Narcisse
Narcissus div. sp.

Cette plante bulbeuse qui produit à la fin de l'hiver et au début de l'automne des fleurs blanches ou jaunes parfois parfumées est très facile à cultiver.

➤ RÉSISTANCE AU FROID

Très bonne ; la plupart des variétés résistent à des températures inférieures à -15 °C.

➤ TAILLE

Selon les variétés, leur taille est comprise entre 20 et 45 cm.

➤ CULTURE

Cultivez-les dans un sol riche bien drainé, composé de terre du jardin et de sable de rivière. Pour bien fleurir, placez-les dans un endroit lumineux et si possible ensoleillé.

➤ UTILISATION

Placez-les sur un rebord de fenêtre ou aux abords de la terrasse. Placez les variétés parfumées à proximité d'un lieu de passage.

➤ LES MEILLEURES VARIÉTÉS

'Hawera' est une ravissante variété qui produit de petites fleurs jaunes. 'Ice Wings' produit des fleurs blanches. N. *poeticus* produit des fleurs blanches à cœur orange parfumées. 'Ice Follies' produit de grandes fleurs blanches.

➤ ENTRETIEN

Coupez le feuillage lorsqu'il commence à jaunir. En végétation, un arrosage hebdomadaire est suffisant.

➤ NOS CONSEILS

Si vous possédez un jardin, placez les pots enterrés dans un coin du jardin avant la floraison, et sortez-les juste lorsque les fleurs apparaissent.

Némésia
Nemesia div. sp.

Petites plantes annuelles ou vivaces qui produisent durant tout l'été une multitude de fleurs colorées. Ce sont des plantes particulièrement faciles à cultiver.

➤ Résistance au froid
Les plantes sont détruites par le froid à partir de -7 °C.

➤ Taille
Ce sont des plantes basses dont la taille est comprise entre 15 et 25 cm.

➤ Culture
Les némésias demandent un sol frais, mais bien drainé, peu fertile. Placez-les en plein soleil pour qu'ils fleurissent abondamment.

➤ Utilisation
En potée ou en jardinières, en compagnie d'autres plantes à fleurs.

➤ Les meilleures variétés
Il en existe plusieurs variétés, mais elles ne sont pas généralement dénommées. Choisissez-les en fonction des couleurs que vous recherchez.

➤ Entretien
Pincez régulièrement les tiges pour les inciter à se ramifier. Un arrosage et un apport d'engrais liquide hebdomadaires sont nécessaires pour assurer une floraison abondante.

➤ Nos conseils
Mélangez-les à des diascias, dont les exigences sont identiques, mais aux couleurs de fleurs différentes.

Nénuphar
Nymphæa div. sp.

Plante aquatique qui produit durant tout l'été des fleurs très colorées parfois parfumées. Peu cultivées en pot, ces plantes s'adaptent pourtant très bien à cette situation.

➤ RÉSISTANCE AU FROID
Très bonne ; attention néanmoins à ce que le pot ne cède pas sous l'effet du gel !

➤ TAILLE
Ce sont des plantes dont les feuilles et les fleurs flottent à la surface de l'eau.

➤ CULTURE
Plantez-les dans un mélange de terre argileux. Au besoin, achetez un substrat « spécial plante aquatique ».

➤ UTILISATION
Sur une terrasse ou dans un coin du jardin, pour surprendre le visiteur. Placez à côté d'autres plantes aquatiques comme des laitues d'eau ou des colocasias. Choisissez un contenant suffisamment grand.

➤ LES MEILLEURES VARIÉTÉS
En pot, mieux vaut choisir des variétés à faible développement comme *N. tetragona*, à fleurs blanches parfumées ou *N. tetragona* 'Helvola', à fleurs jaune vif. *N. odorata* est également une variété qui peut se cultiver dans une vasque. Lorsque vous achetez vos plantes, n'oubliez pas de signaler que vous recherchez une variété pour une vasque.

➤ ENTRETIEN
Rien à signaler ; protégez les vasques du gel en hiver.

➤ NOS CONSEILS
Dans une grande vasque, un poisson rouge pourra agrémenter votre potée aquatique.

❦ LA LÉGENDE…
D'après une légende grecque, une nymphe mourut d'avoir aimé passionnément Hercule. Celui-ci, qui l'avait dédaignée, décida d'éterniser sa mémoire en la transformant en nénuphar…

Nérine
Nerine bowdenii

Plante bulbeuse encore peu répandue qui produit en automne des fleurs aux couleurs chaudes. Facile à cultiver, c'est une plante à découvrir.

➤ **RÉSISTANCE AU FROID**
En pot, évitez le gel. Au besoin, protégez-les dans une serre froide ou enterrez les potées dans un coin abrité.

➤ **TAILLE**
En fleurs, ce sont des plantes qui peuvent atteindre 40 à 50 cm.

➤ **CULTURE**
Ces plantes apprécient les terres bien drainées. Placez-les en plein soleil.

➤ **UTILISATION**
Placez les potées en fleurs sur un rebord de fenêtre ou sur la terrasse.

➤ **LES MEILLEURES VARIÉTÉS**
Il en existe plusieurs variétés. Les plus faciles à cultiver sont les variétés issues de N. *bowdenii*. La forme *alba* produit des fleurs blanches. 'Mark Fenwick' produit des fleurs d'un rose soutenu portées par des tiges presque noires. Les autres espèces sont généralement plus délicates à cultiver et doivent être réservées aux amateurs avertis.

➤ **ENTRETIEN**
En période de croissance, un arrosage hebdomadaire et un apport d'engrais liquide tous les quinze jours sont nécessaires. Stoppez les arrosages lorsque la plante entre en repos.

➤ **NOS CONSEILS**
Cultivez-les dans un endroit protégé et sortez les potées dès que les hampes florales se forment.

Oxalis
Oxalis div. sp.

Plante vivace bulbeuse qui produit de petites fleurs roses sans oublier, selon les variétés, un très beau feuillage. C'est une plante très facile à cultiver.

➤ RÉSISTANCE AU FROID
Assez bonne ; la plupart des espèces cultivées résistent à des températures inférieures à -8 °C. Protégez-les en hiver.

➤ TAILLE
Les variétés proposées ont une taille d'environ 15 cm.

➤ CULTURE
Ils préfèrent un sol frais et humifère. Faites un apport « d'Or brun » au moment de la plantation.

➤ UTILISATION
Placez-les à mi-ombre en compagnie d'autres plantes bulbeuses commes des narcisses.

➤ LES MEILLEURES VARIÉTÉS
On en cultive principalement deux espèces : *O. adenophylla*, une petite plante de rocaille au feuillage bleuté qui produit des fleurs roses ou mauves, et *O. tetraphylla*, une variété plus grande qui possède des feuilles au centre noir et qui produit des fleurs roses ou blanches. On en trouve également une variété à feuilles pourpres.

➤ ENTRETIEN
Arrosez lorsque le substrat est sec. Les apports d'engrais sont superflus. Faites hiverner les potées dans un endroit sec et aéré.

➤ NOS CONSEILS
O. adenophylla pourra prendre place dans une auge en compagnie d'autres plantes de rocaille comme des sédums ou des saxifrages.

Persicaire
Persicaria div. sp.

Cette plante vivace à feuillage décoratif qui produit au milieu de l'été de petites fleurs blanches est facile à cultiver et très accommodante.

➤ **RÉSISTANCE AU FROID**

Les persicaires sont résistantes au froid. Attention, certaines variétés peuvent être sensibles au gel lorsqu'on les cultive en pot !

➤ **TAILLE**

Dans de bonnes conditions, elles atteignent entre 40 et 50 cm de haut.

➤ **CULTURE**

Elles apprécient les substrats riches en matière organique restant frais. Faites un apport de matière organique au moment de la plantation.

➤ **UTILISATION**

Plantez-la en compagnie de plantes à feuillage clair comme des miscanthus panachés ou de la canne de Provence panachée (*Arundo donax* 'Variegata'). Elle se plaît aussi bien à l'ombre qu'en plein soleil.

➤ **LES MEILLEURES VARIÉTÉS**

'Red Dragon' est une nouvelle variété qui possède un superbe feuillage presque noir. C'est une variété sensible au gel lorsqu'elle est cultivée en pot.

➤ **ENTRETIEN**

Pincez-la régulièrement pour inciter la plante à se ramifier. Un arrosage hebdomadaire est souhaitable. Les apports d'engrais sont superflus.

➤ **NOS CONSEILS**

Faites-la hiverner dans une serre froide ou même à l'intérieur dans un pièce tempérée.

Pétunia
Petunia div. sp.

Parmi les plantes fleuries que l'on utilise en pot, le pétunia est une plante quasi indispensable. Elle déploie durant tout l'été une multitude de fleurs.

➤ RÉSISTANCE AU FROID
Les pétunias ne résistent pas au gel.

➤ TAILLE
Dans de bonnes conditions, ce sont des plantes qui peuvent atteindre 30 à 50 cm d'envergure ; certaines sont retombantes.

➤ CULTURE
Cultivez-les en plein soleil dans un substrat léger, riche, mais bien drainé. Faites un apport d'engrais à libération lente au moment de la plantation.

➤ LES MEILLEURES VARIÉTÉS
Il en existe de nombreuses variétés ; choisissez-les en fleurs en fonction de vos envies. Les pétunias de la race 'Millions Bells' produisent une multitude de petites fleurs. Les surfinias produisent quant à eux des fleurs retombantes.

➤ UTILISATION
Ils seront très bien en potées fleuries en compagnie d'autres plantes qui fleurissent à la même période.

➤ ENTRETIEN
Faites un apport d'engrais hebdomadaire. Deux ou trois arrosages hebdomadaires sont nécessaires, surtout en période chaude. Supprimez les fleurs fanées pour prolonger la floraison.

➤ NOS CONSEILS
Mélangez les variétés de vigueur équivalente pour créer des potées pleines de fleurs.

Phormium
Phormium div. sp.

Plante de la famille des agaves, originaire de Nouvelle-Zélande, qui produit de grandes feuilles linéaires souvent très colorées. Une plante à découvrir !

➤ RÉSISTANCE AU FROID
En pot, les phormiums ne résistent guère à des températures inférieures à -5 °C. Il faut les protéger ou les faire hiverner dans une véranda.

➤ TAILLE
Selon les variétés, ils peuvent atteindre 1,5 m de haut.

➤ CULTURE
Dans leur pays d'origine, ce sont des plantes qui poussent au bord de l'eau ; ils apprécient donc les terres fraîches, voire humides et riches.

➤ UTILISATION
Placez-les sur une terrasse ou dans un patio pour créer une ambiance exotique. Associez-les à des bambous ou à des graminées. Ils préfèrent les situations ensoleillées.

➤ LES MEILLEURES VARIÉTÉS
'Dazzler' est un hybride à feuilles bronze rayées de rouge. 'Purpurea' possède des feuilles pourpres. 'Variegatum' possède, quant à elle, des feuilles avec des rayures jaune crème. 'Sundower' possède des feuilles vert bronze bordées de rose foncé.

➤ ENTRETIEN
Un arrosage hebdomadaire est suffisant. Supprimez les feuilles abîmées au fur et à mesure.

➤ NOS CONSEILS
Choisissez un contenant aux formes épurées pour le mettre en valeur.

Radis
Raphanus sativus

Plante annuelle qui produit quelques jours après le semis des racines charnues au goût prononcé. C'est une plante qui se cultive très bien en pot, profitez-en !

➤ RÉSISTANCE AU FROID

Les radis ont besoin de chaleur pour bien se développer. La culture en pot en extérieur se fait entre mai et septembre.

➤ TAILLE

Ils ne dépassent pas 20 cm de haut.

➤ CULTURE

Les radis préfèrent les substrats légers, frais mais bien drainés. En pot ou en jardinière, cultivez-la dans du terreau.

➤ UTILISATION

Sur votre balcon ou même sur la terrasse, choisissez une belle potée suffisamment large de façon à pouvoir en cultiver assez pour un repas. Trois ou quatre potées sont nécessaires.

➤ LES MEILLEURES VARIÉTÉS

Il en existe de nombreuses variétés. Parmi nos préférées et ceux qui se développent le plus vite, 'De 18 jours' est un des plus connu. 'Rond Ecarlate' produit de petites racines rondes au goût délicieux. 'Cerise' est également une très bonne variété à racine ronde. 'Flamboyant' est une variété idéale pour sensibiliser vos enfants au jardinage.

➤ ENTRETIEN

Arrosez régulièrement pour éviter qu'ils ne se creusent.

➤ NOS CONSEILS

Semez-en tous les quinze jours dans des pots différents afin d'étaler les récoltes.

Sédum
Sedum div. sp.

Crassulacée à feuillage décoratif qui apprécie les situations chaudes et les sols drainants. Très facile à cultiver, c'est une plante idéale pour les débutants.

➤ RÉSISTANCE AU FROID
Très bonne ; ils résistent à des températures inférieures à -15 °C.

➤ TAILLE
Entre 10 et 50 cm.

➤ CULTURE
Les sédums apprécient les substrats drainants. Cultivez-les dans un mélange composé de moitié de terre du jardin et moitié sable de rivière.

➤ UTILISATION
Placez-les au soleil, sur un rebord de fenêtre ou un petit muret pour les variétés naines.

➤ LES MEILLEURES VARIÉTÉS
Toutes les espèces de sédums supporteront la culture en pot. Parmi les plus intéressantes, nous vous conseillons *S. spathulifolium*, qui produit des feuilles blanches et des fleurs jaunes. *S. hispanicum* est une petite plante de rocaille à feuilles bleutées. *S. aizoon* est également une très bonne plante. Les grands sédums comme *S. spectabile* pourront également être cultivés en pot.

➤ ENTRETIEN
Un arrosage de temps en temps est suffisant.

➤ NOS CONSEILS
Mettez des sédums en compagnie de saxifrages et d'autres variétés de plantes de rocaille, et vous pourrez créer de très belles auges.

Sempervivum (Joubarbe)
Sempervivum div. sp.

Petite crassulacée qui produit des rosettes denses et qui développe de belles hampes florales. C'est une plante idéale pour la culture en pot.

➤ RÉSISTANCE AU FROID
Très bonne ; elle résiste à des températures inférieures à -15 °C.

➤ TAILLE
Ce sont des plantes rampantes qui ne dépassent pas 10 cm de haut.

➤ CULTURE
Les sempervivums apprécient les terres bien drainées et les situations chaudes. Au moment de la plantation, faites un bon apport de graviers pour assurer l'aération du substrat.

➤ UTILISATION
Placez-les dans un pot en terre cuite sur un rebord de fenêtre ou dans une auge en compagnie d'autres plantes de rocaille comme les sédums ou les saxifrages. Ils pourront même trouver refuge dans les interstices d'un mur en pierres sèches.

➤ LES MEILLEURES VARIÉTÉS
Il en existe une multitude. Parmi les plus courantes, *S. arachnoideum* produit des rosettes recouvertes de petits fils blancs. *S. ciliosum* produit des rosettes velues. *S. montanum* produit de grosses rosettes.

➤ ENTRETIEN
Un arrosage hebdomadaire assurera un bon développement. Les apports d'engrais sont inutiles.

➤ NOS CONSEILS
Multipliez-les rapidement pour en faire profiter vos amis et voisins.

Thym
Thymus div. sp.

Plante aromatique à souche ligneuse, décorative pour son feuillage, mais aussi pour sa floraison. En outre, c'est une plante utile en cuisine ; que lui demander de plus ?

➤ RÉSISTANCE AU FROID
Très bonne ; la plupart des espèces résistent à des températures inférieures à -12 °C. Néanmoins, le thym est une plante qui a une durée de vie courte en pot.

➤ TAILLE
Selon les variétés, leur taille est comprise entre 5 et 25 cm de haut.

➤ CULTURE
Les thyms apprécient les substrats bien drainés. Plantez-les dans un mélange bien drainé.

➤ UTILISATION
En plein soleil, sur une terrasse en compagnie d'autres plantes aromatiques comme de la ciboulette ou du romarin.

➤ LES MEILLEURES VARIÉTÉS
Il en existe de nombreuses variétés. On les regroupe en deux catégories : les variétés rampantes et les variétés érigées. Parmi les premières, nous vous conseillons 'Bertram Andersom', qui produit des feuilles dorées. 'Doone Valley' dégage un puissant parfum de citron lorsqu'on le froisse. Parmi les secondes, essayez le thym commun, très facile à cultiver.

➤ ENTRETIEN
Rabattez les touffes qui prennent un peu d'ampleur. Un arrosage hebdomadaire est souhaitable. Les apports d'engrais sont superflus.

➤ NOS CONSEILS
Plantez-en plusieurs pieds.

Tomate
Lycopersicum esculentum

Quoi de plus délicieux que de ravissantes petites tomates cerise juste à portée de main au moment de l'apéritif ? Elles sont très faciles à cultiver en pot, il n'y a qu'à essayer !

➤ RÉSISTANCE AU FROID

Les tomates ne résistent pas au gel.

➤ TAILLE

En général, elles atteignent 1,8 à 2 m de haut. Même en pot, elles peuvent avoir un développement assez important.

➤ CULTURE

Les tomates apprécient les substrats frais et riches en matière organique. Une exposition ensoleillée vous permettra d'obtenir des fruits plus savoureux.

➤ UTILISATION

C'est sur le balcon ou sur la terrasse que vous pourrez placer des tomates en pot.

➤ LES MEILLEURES VARIÉTÉS

Il en existe de nombreuses variétés. Nous vous conseillons tout particulièrement les vieilles variétés. Les tomates cerise sont plus adaptées à la culture en pot. Essayez 'Caro Rich' et 'Delice of the Gardener', deux variétés qui produisent des fruits délicieux.

➤ ENTRETIEN

Taillez régulièrement vos plants de tomates pour canaliser leur développement.

➤ NOS CONSEILS

Cultivez-en deux ou trois variétés afin d'étaler la récolte et surtout de varier les saveurs !

Verveine
Verbena div. sp.

Ces plantes vivaces (ou annuelles chez certaines espèces) produisent au milieu de l'été de nombreuses fleurs très colorées. Elles sont très faciles à cultiver.

➤ RÉSISTANCE AU FROID
Les verveines hybrides peuvent supporter de faibles gelées.

➤ TAILLE
La plupart des variétés cultivées en pot ont une hauteur comprise entre 15 et 30 cm.

➤ CULTURE
Elles apprécient les substrats riches en matière organique et bien drainés, mais restant frais.

➤ UTILISATION
C'est une plante idéale pour créer de belles potées fleuries. Les verveines apprécient les situations ensoleillées. Associez-les à d'autres plantes à fleurs comme des surfinias ou des diascias.

➤ LES MEILLEURES VARIÉTÉS
Il en existe de nombreuses variétés, les horticulteurs en proposent une multitude. Il suffit de choisir en fonction de vos goûts. La verveine rugueuse (*Verbena rigida*) se développe très bien en pot.

➤ ENTRETIEN
Un arrosage hebdomadaire et un apport d'engrais tous les quinze jours permettront d'assurer une bonne floraison. Supprimez les fleurs fanées pour stimuler l'apparition de nouvelles fleurs.

➤ NOS CONSEILS
Mélangez-en plusieurs variétés.

Violette
Viola div. sp.

Plante annuelle ou bisannuelle qui produit pendant de longues semaines une multitude de petites fleurs colorées. Ce sont des plantes faciles à cultiver qui se ressèment facilement.

➤ Résistance au froid
Très bonne.

➤ Taille
Ce sont de petites plantes qui ne dépassent guère 20 cm de haut.

➤ Culture
Très faciles à cultiver, elles apprécient les substrats légers.

➤ Utilisation
Elles pourront former de très belles potées fleuries qui prendront place au pied d'un escalier ou sur un rebord de fenêtre. Elles se développent aussi bien à mi-ombre qu'en plein soleil.

➤ Les meilleures variétés
La plupart des variétés de violette peuvent être cultivées en pot.

Parmi les plus intéressantes, nous vous conseillons les violettes cornues (*Viola cornuta*). Elle produit de petites fleurs. Il en existe de nombreuses variétés. *V. tricolor* produit de petites fleurs dans diverses nuances de pourpre et de jaune.

➤ Entretien
Un arrosage hebdomadaire suffit. Les apports d'engrais sont superflus.

➤ Nos conseils
Ce sont des plantes très faciles à semer. Récoltez les graines et tentez vos propres semis, vous découvrirez peut-être de petits trésors.

Yucca
Yucca div. sp.

Plante vivace qui peut produire un tronc. Elle possède un feuillage linéaire parfois piquant et produit un effet exotique.

> ### Résistance au froid
Moyenne ; les plantes peuvent parfois être détruites à la faveur d'une gelée forte. Protégez vos plantes en pot.

> ### Taille
Selon les variétés, ils peuvent atteindre 50 à 60 cm.

> ### Culture
Ils préfèrent les substrats riches et bien drainés. Faites un apport de sable de rivière au moment de la plantation.

> ### Utilisation
Les yuccas supportent les situations les plus chaudes. Ils pourront recréer une ambiance exotique. Placez-les sur une terrasse en compagnie de phormiums ou de graminées.

> ### Les meilleures variétés
Nous vous conseillons tout particulièrement Y. *filamentosa* 'Bright Edge', qui possède de très belles feuilles panachées. Y. *flaccida* 'Golden Sword' est également une variété à feuilles panachées.

> ### Entretien
Un arrosage et un apport d'engrais hebdomadaires suffisent. Supprimez les feuilles sèches.

> ### Nos conseils
Plantez à son pied un petit couvre-sol comme un sédum 'Ruby Glow'.

Où acheter des contenants et des plantes ?

Les jardineries et les grandes surfaces de bricolage proposent désormais une gamme de contenants et de plantes très importante. Pierre reconstituée, poteries vernissées, en terre cuite, contenants en métal ou en plastique, vous n'aurez que l'embarras du choix. Lorsque vous achetez des poteries, nous vous conseillons d'acquérir plusieurs contenants. Certains magasins proposent des offres qui sont parfois limitées dans le temps, et vous aurez peut-être des difficultés à retrouver le même design. De nombreuses poteries sont fabriquées à l'étranger, notamment en Asie du Sud-Est, et l'approvisionnement est parfois aléatoire. Si vous recherchez des produits particuliers, nous vous conseillons de vous rapprocher de spécialistes. Nous vous proposons une liste (non exhaustive) de fabricants. Vous y trouverez un choix vaste et surtout des modèles suivis dans le temps.

LES CONTENANTS

🔥 **Poterie d'Albi**
112, avenue Albert-Thomas
81000 ALBI
Tél. : 05 63 60 71 00

🔥 **Poterie Ravel**
Avenue des Goums
13400 AUBAGNE
Tél. : 04 42 82 42 00

🔥 **Générale des poteries d'Alsace**
BP06
67430 DIEMERINGEN
Tél. : 03 88 00 40 10

🔥 **Poterie de la Madeleine**
Tornac
30140 ANDUZE
Tél. : 04 66 61 63 44

🔥 **Poteries Grandon**
BP1
17430 BORDS
Tél. : 05 46 83 88 29

🔥 **Tonnellerie Bouyoud**
38160 SAINT-SAUVEUR
Tél. : 04 76 38 26 73

LES PLANTES

🔥 **ETS Dino Pellizzaro**
290, chemin de Léouse
06220 VALLAURIS
Tél. : 04 93 64 18 43
• *Plantes de bord de mer, plantes méditerranéennes.*

🔥 **Pépinières Lewisia**
Le Maupas
05300 LAZER
Tél. : 04 92 65 12 42
• *Plantes succulentes, plantes alpines.*

🔥 **Aromatiques tropicales**
Moulin de la Serre
46340 DÉGAGNAC
Tél. 05 65 41 65 92

• *Plantes aromatiques, plantes méditerranéennes, plantes tropicales.*

🔥 **Hodnik SARL**
Le Bourg
45700 SAINT-MAURICE-SUR-FESSARD
Tél. : 02 38 97 84 59
• *Plantes de bord de mer, plantes méditerranéennes, agrumes.*

🔥 **GAEC Hortiflor**
9, chemin de l'Aiglerie
49170 SAVENNIÈRES
Tél. : 02 41 72 21 67
• *Plantes vivaces, pélargoniums, fuchsias, etc.*

Index

➤ *Conception graphique et mise en page :* Pascal GARBE.

➤ *Photographies :* © Pascal GARBE.

➤ *Coordination :* SAEP/Éric ZIPPER.

➤ *Photogravure :* SAEP Arts Graphiques.

➤ *Impression :* Union Européenne.

Dépôt légal 1er trim. 2005 - n° 2 954

Imprimé en U.E.